¡ADVERTENCIA!

Ardilla Miedosa insiste en que todos se unten bloqueador solar del número 65 antes de leer este libro.

Watt, Mélanie
   Ardilla miedosa en la playa / Texto e ilustraciones Mélanie Watt ;
tr. María Cristina Vargas – México : Ediciones SM, 2010
18 h. : il. ; 21 x 21 cm.

ISBN : 978-607-471-516-3

1. Cuentos infantiles. 2. Ardillas – Literatura infantil. 3. Miedo –
Literatura infantil. I. Vargas, María Cristina, tr. II. t.

Dewey 813 W3818

Para Sergio, Nelson y Pablo,
quienes valientemente nos
ayudaron a construir
nuestro particular escape
a la playa

Coordinación editorial: Laura Lecuona
Traducción: María Cristina Vargas
Diagramación: Marina Mejía

Título original: *Scaredy Squirrel at the beach*
Primera edición D. R. © Kids Can Press Ltd.
D. R. © Texto e ilustraciones: Mélanie Watt, 2008
Publicado con el permiso de Kids Can Press Ltd.,
Toronto, Ontario, Canadá

Ardilla miedosa en la playa
Primera edición en México, 2010
D. R. © SM de Ediciones, S. A. de C. V., 2010
Magdalena 211, Colonia del Valle,
03100, México, D. F.
Tel.: (55) 1087 8400
www.ediciones-sm.com.mx

ISBN 978-607-471-516-3

Miembro de la Cámara Nacional de la Industria Editorial Mexicana
Registro número 2830

Scaredy Squirrel at the beach
se terminó de imprimir en abril de 2010
en Paramount Printing Company Ltd.
3 Chun Kwong Street, TKO Industrial Estate
Tseung Kwan O, Kowloon
Hong Kong, China

Ardilla Miedosa

en la playa

Mélanie Watt

ediciones **sm**

¡Tómate unas vacaciones en la playa!

Ardilla Miedosa nunca va a la playa. Prefiere quedarse sola y segura en casa a correr el riesgo de estar rodeada de la multitud equivocada.

Algunas multitudes en las que Ardilla Miedosa no quisiera estar atrapada:

bandadas de gaviotas

tribus de medusas

anadas de monstruos marinos

bandas de piratas

oneladas de cocos que caen

turbas de langostas

Así que está
muy contenta
de construir
su playa privada.

Guía de Ardilla Miedosa para hacer una playa segura

Lo que necesitas para empezar:

papel y crayolas

1 vara

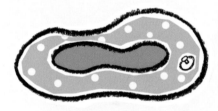

1 alberca inflable

1 linterna

1 bolsa de arena para gato

1 flamenco de plástico

1. Dibuja la "escenografía" de la playa.

2. Usa una vara para detenerla.

3. Cubre el piso con "arena".

4. Infla el "océano".

5. Enciende el "sol".

6. Coloca "vida silvestre"...

¡Y DISFRÚTALA!

TOC
TOC
TOC

¡LIBRE DE GÉRMENES!

Parece una playa y se siente como
una playa, pero no se oye como una playa.
Ardilla Miedosa se da cuenta de que algo falta:
¡el relajante sonido del océano!

LA SOLUCIÓN:
Hacer un rápido viaje a la playa DE VERDAD
y encontrar una concha de mar
que responda a la siguiente descripción:

CONCHA DE MAR
(Gráfica de calidad y rendimiento)

- ☑ libre de gérmenes
- ☑ superficie brillante
- ☑ sonido cristalino del océano

¡ALERTA ROJA! ¡La concha de mar NO debe, repito, NO debe estar habitada!

Pero viajar a una playa **DE VERDAD** requiere una planeación cuidadosa.

Primero, obtener un pasaporte.

¡LIBRE DE GÉRMENES!

El sujeto nunca ha viajado*

S///000//SOS//desconocido)))

-PASAPORTE-

Familia: roedor

Tipo: ardilla voladora

Nombre: Ardilla

Segundo nombre: Auxilio

Apellido: Miedosa

Lugar de nacimiento: árbol de bellotas

Segundo, dibuja un mapa...

MAPA DE LA PLAYA

(MISIÓN: Operación Concha de Mar)

Estoy aquí

7:00 a.m.: Entrar en la caja y esperar
(no olvidar el pasaporte)

7:30 a.m.: Que me recoja el camión
del correo
(verificar pasaporte)

8:42 a.m.: Llegar a la playa y esperar
a que la costa esté vacía
(no perder el pasaporte)

11:42 a.m.: Salir de la caja y encontrar
la concha de mar
(agarrar el pasaporte)

1:49 p.m.: Entrar en la caja y esperar a
que me recojan
(revisar el pasaporte)

6:00 p.m.: Que me entregue el camión
en el árbol de bellotas
(guardar pasaporte)

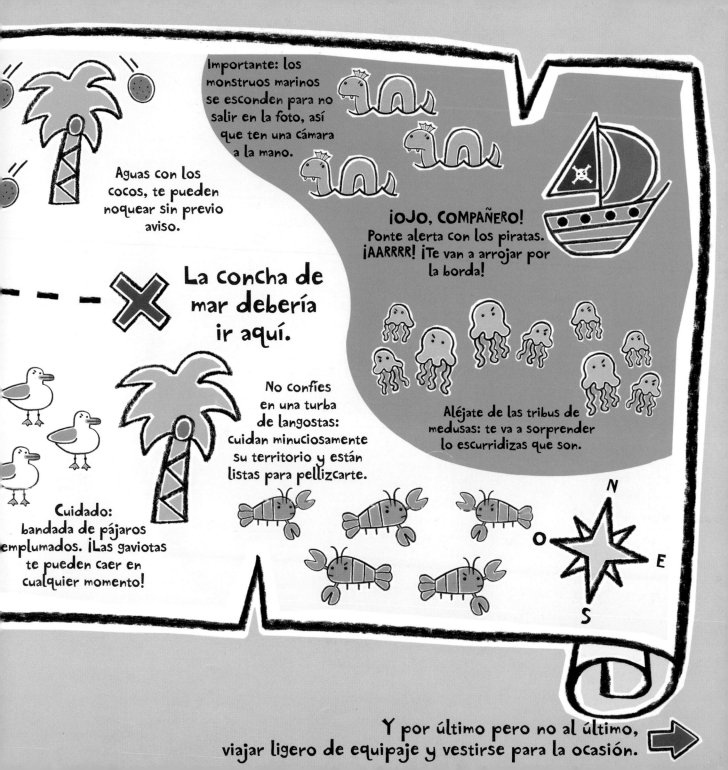

TRAJE DE PLAYA PARA MIEDOSA

Esta ardilla ha sido entrenada profesionalmente ¡No intentes esto en casa!

Objeto A:
Casco protector para cocos que caen

Objeto B:
Parche protector para engañar a los piratas

Objeto C:
Artefacto flotante para evitar hundimiento

Objeto D:
Cámara protectora para desanimar a monstruos marinos

Objeto E:
Brújula protectora para evitar perderse

Objeto I:
Papa frita protectora para distraer a las gaviotas

Objeto H:
Guantes protectores para aislar a los gérmenes

Objeto G:
Liga protectora para amansar a las langostas

Objeto F:
Calzado protector contra las medusas

Recuerda, si nada de esto funciona, ¡hazte el muerto y pide auxilio!

A la mañana siguiente, como estaba planeado, Ardilla Miedosa salta dentro de la caja.

A las 7:30 a.m. la recogen. Manejan...

...y manejan.

¡BIENVENIDOS A LA PLAYA!

A las 8:42 a.m. bajan a Miedosa y ella espera... y espera.

¡LA GENTE NO era parte del plan!

Ardilla Miedosa entra en pánico...

SE HACE LA MUERTA.

30 minutos más tarde

1 hora más tarde

2 horas más tarde

Finalmente Ardilla Miedosa
se da cuenta de que la
concha de mar perfecta está
justo en sus narices.

Rodeada por gente
amigable, decide unirse
a la multitud.

¡A SURFEAR!

Ardilla Miedosa
construye castillos
de arena ...

toma fotos...

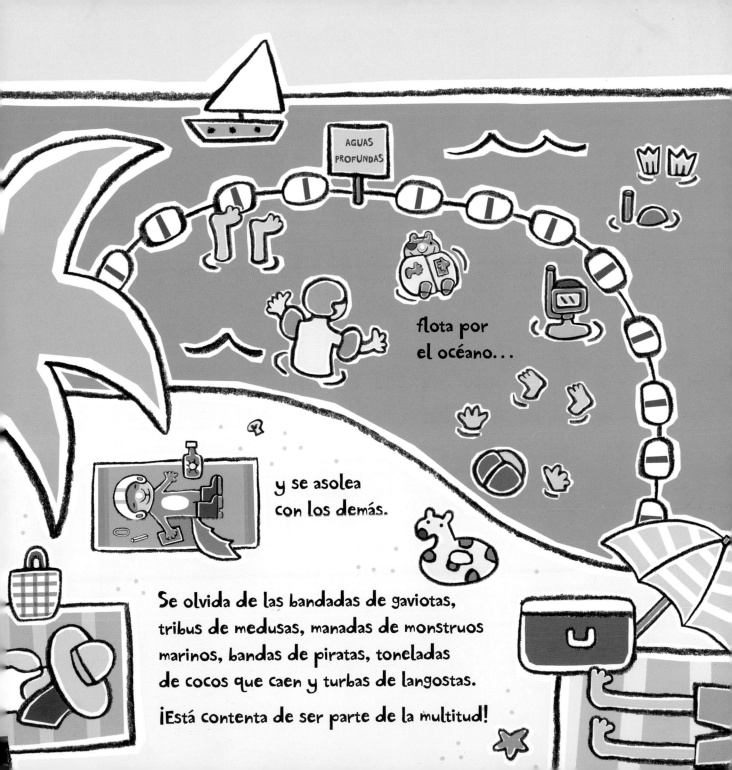

AGUAS PROFUNDAS

flota por
el océano...

y se asolea
con los demás.

Se olvida de las bandadas de gaviotas,
tribus de medusas, manadas de monstruos
marinos, bandas de piratas, toneladas
de cocos que caen y turbas de langostas.

¡Está contenta de ser parte de la multitud!

De regreso a casa, después de un día de
diversión bajo el sol, Ardilla Miedosa se
siente inspirada para hacer un importante
añadido a su playa...

¡UNA MULTITUD!

¡LIBRE DE GÉRMENES!

Enanitos
de jardín

P. D.: Y en cuanto a la próxima visita de Miedosa a la playa, podría ser más pronto de lo que ella se imagina. . . .

¡ALERTA ROJA!